Pour toi, maman
ce bouquet de poèmes

de la part de :

UN
BOUQUET
DE POÈMES
POUR MAMAN

UN BOUQUET DE POÈMES POUR MAMAN

rassemblés par
Christophe Parent

l'Archipel

Si vous souhaitez recevoir notre catalogue
et être tenu au courant de nos publications,
envoyez vos nom et adresse, en citant ce
livre, aux Éditions de l'Archipel,
34, rue des Bourdonnais, 75001 Paris.
Et, pour le Canada, à
Édipresse Inc., 945, avenue Beaumont,
Montréal, Québec, H3N 1W3.

ISBN 2-84187-379-X

Avant-propos

Si, en France, la Fête des mères n'est officiellement célébrée que depuis le 24 mai 1950, son origine toutefois est beaucoup plus lointaine, puisque les Romains la commémoraient déjà. Au VIe siècle avant Jésus-Christ, les *matronalia* étaient célébrées sous les auspices de Junon, déesse du Mariage et de la Féminité. Les Grecs eux-mêmes honoraient Rhéa, mère des Dieux, que les Romains assimilèrent à Cybèle, la « Grande Mère »...

C'est au XVIe siècle, en Angleterre, que la Fête des mères prend pour la première fois la forme familiale que nous lui connaissons aujourd'hui : le dimanche de « Mothering Day », chacun est invité à retrouver, chez soi, sa maman. L'idée séduira Napoléon – qui ne lui donnera cependant aucune suite...

C'est aux États-Unis qu'apparaît la Fête des mères sous sa forme moderne. En mai 1906, en Virginie-Occidentale, une certaine Anna M. Jarvis, éprouvée par la mort de son fils, réclame et, à force d'obstination, obtient qu'un service religieux soit donné en l'honneur de toutes les mamans le second dimanche de ce mois. Le « Mother's Day » est né. Il sera imité dans le monde entier, sans que l'Église trouve à y redire, puisqu'il coïncide avec le mois de Marie. En 1914, le président Wilson l'officialisera sur tout le territoire américain, semble-t-il pour rendre hommage à une de ses électrices affligée par la disparition de sa mère... Ce jour-là, les hommes porteront un œillet blanc à la boutonnière, symbole de l'amour filial.

Et en France ? Bien avant que la Fête des mères n'entre dans le calendrier, en 1941, des initiatives originales avaient vu le jour. Le 10 juin 1906, dans le village isérois d'Artas, le président d'une « union fraternelle des pères de famille méritants », un instituteur nommé Prosper Roche, remettait pour la première fois un prix de « haut mérite maternel » à de valeureuses mamans. Mais c'est pendant la Première Guerre mondiale, qui vit bien des mères perdre bien des fils, que l'idée fit son chemin. Le 16 juin 1918 était célébrée, à Lyon, une « journée des mères » ; l'« Alliance nationale contre la dépopulation », séduite par cette initiative, proposa d'organiser une « journée nationale des mères de familles nombreuses », qui fut célébrée pour la première fois en mai 1920, et fut étendue en 1926 à toutes les mères.

Il va de soi que nos plus grands poètes n'avaient pas attendu ce jour, puisque, dès leur plus jeune âge, Théophile Gautier ou Victor Hugo faisaient à leur mère l'offrande de leurs premiers vers d'enfants. Tout comme, aujourd'hui encore, des milliers d'enfants préparent avec amour, sur les bancs des écoles, les poèmes qui feront la joie de leur maman…

Christophe PARENT

C'EST TA FÊTE AUJOURD'HUI

C'est ta fête aujourd'hui : c'est la fête des Mères…
Pour te payer d'amour tout ce que je te dois,
Par les prés renaissants, j'ai moissonné pour toi
Pâquerettes, bleuets, boutons d'or, primevères.

Puisse ce témoignage d'un amour sincère,
Quand même serait-il quelque peu maladroit
Te dire, ô maman, l'amour que j'ai pour toi
Et te faire oublier bien des heures amères.

Elles disent ces fleurs et ces paroles tendres
Mon espoir décidé que tu as dû comprendre
De t'aider, te choyer, t'aimer à l'avenir.

Et les jours s'enfuiront de leur aile légère
En fanant chaque fleur mais sans jamais ternir
L'immense et bel amour que j'ai pour toi : ma mère !

AUX PETITS ENFANTS

Enfants d'un jour, ô nouveau-nés,
Petites bouches, petits nez,
Petites lèvres, demi-closes,
Membres tremblants,
Si frais, si blancs,
Si roses ;

Enfants d'un jour, ô nouveau-nés,
Pour le bonheur que vous donnez,
A vous voir dormir dans vos langes,
Espoirs des nids,
Soyez bénis,
Chers anges !

Pour vos grands yeux effarouchés
Que sous vos draps blancs vous cachez,
Pour vos sourires, vos pleurs même,
Tout ce qu'en vous,
Êtres si doux,
On aime ;

Pour tout ce que vous gazouillez,
Soyez bénis, baisés, choyés,
Gais rossignols, blanches fauvettes !
Que d'amoureux
Et que d'heureux
Vous faites ! […]

Enfants d'un jour, ô nouveaux-nés,
Au paradis, d'où vous venez,
Un léger fil d'or vous rattache,
A ce fil d'or
Tient l'âme encor
Sans tache. […]

(Les Amoureuses)

LE RÉVEIL D'UNE MÈRE

Un sommeil calme et pur comme sa vie,
Un long sommeil a rafraîchi ses sens.
Elle sourit et nomme ses enfans.
Adèle accourt de son frère suivie.
Tous deux du lit assiègent le chevet ;
Leurs petits bras étendus vers leur mère,
Leurs yeux naïfs, leur touchante prière,
D'un seul baiser implorent le bienfait.
Céline alors, d'une main caressante,
Contre son sein les presse tour à tour,
Et de son cœur la voix reconnaissante
Bénit le ciel, et rend grâce à l'amour ;
Non cet amour que le caprice allume,
Ce fol amour qui, par un doux poison,
Énivre l'âme et trouble la raison,
Et dont le miel est suivi d'amertume ;
Mais ce penchant par l'estime épuré,
Qui ne connaît ni transports ni délire,
Qui sur le cœur exerce un juste empire,
Et donne seul un bonheur assuré.
Bientôt Adèle, au travail occupée,
Orne avec soin sa docile poupée,
Sur ses devoirs lui fait un long discours,

L'écoute ensuite, et, répondant toujours
A son silence, elle gronde et pardonne,
La gronde encore, et sagement lui donne
Tous les avis qu'elle-même a reçus,
En ajoutant : Surtout ne mentez plus.
Un bruit soudain la trouble et l'intimide,
Son jeune frère écuyer intrépide,
Caracolant sur un léger bâton,
Avec fracas traverse le salon
Qui retentit de sa course rapide.
A cet aspect, dans les yeux de sa sœur
L'étonnement se mêle à la tendresse.
Du cavalier elle admire l'adresse ;
Et sa raison condamne avec douceur
Ce jeu nouveau, qui peut être funeste.
Vaine leçon, il rit de sa frayeur ;
Des pieds, des mains, de la voix et du geste,
De son coursier il hâte la lenteur.
Mais le tambour au loin s'est fait entendre :
D'un cri de joie il ne peut se défendre.
Il voit passer les poudreux escadrons ;
De la trompette et des aigres clairons
Le son guerrier l'anime ; il veut descendre,

Il veut combattre ; il s'arme, il est armé.
Un chapeau rond surmonté d'un panache
Couvre à demi son front plus enflammé ;
A son côté fièrement il attache
Le buis paisible en sabre transformé ;
Il va partir ; mais Adèle tremblante,
Courant à lui, le retient dans ses bras,
Verse des pleurs, et ne lui permet pas
De se ranger sous l'enseigne flottante.
De l'amitié le langage touchant
Fléchit enfin ce courage rebelle ;
Il se désarme, il s'assied auprès d'elle,
Et pour lui plaire il redevient enfant.
A tous leurs jeux Céline est attentive,
Et lit déjà dans leur âme naïve
Les passions, les goûts et le destin
Que leur réserve un avenir lointain.

(Œuvres complètes)

A UNE MÈRE

Tandis que cette foule inconstante, aveuglée,
Va fatiguer ses jours dans de frivoles jeux,
Pour retomber bientôt languissante, accablée,
Dans les bras d'un loisir aussi pénible qu'eux,
Ton âme incessamment et s'élève et s'éclaire.
Une étude agréable, un travail volontaire,
Savent multiplier le prix de tes instans ;
    Les tendresses de tes enfans
Font sentir à ton cœur le plaisir d'être mère.
Combien ils te sont chers ces êtres précieux,
Ces objets de tes soins, ces soutiens de ta vie !
Comme ils savent parler à ton âme attendrie,
Et comme tes regards répondent à leurs yeux !
    Leurs caresses délicieuses
Redoublent ton amour en peignant leurs transports ;
    C'est pour les âmes vertueuses
    Que la nature a des trésors. […]

(Poésies légères)

Le plus saint des devoirs, celui qu'en traits de flamme
La nature a gravé dans le fond de notre âme,
C'est de chérir l'objet qui nous donna le jour.
Qu'il est doux à remplir ce précepte d'amour.

(Mélanges de poésie et de littérature)

LE CHANT DE MA MÈRE

Le chant que me chantait naguère
Ma mère douce, au long des nuits,
A dû mourir avec ma mère…
Nul ne me l'a chanté depuis.

Et c'est en vain qu'au seuil des portes
Obstinément le l'ai quêté.
Ô ma mère, tes lèvres mortes
Dans la tombe l'ont emporté.

En vain, sous les lampes huileuses,
J'ai fait, dans l'âtre des maisons,
Sourdre au cœur des vieilles fileuses
L'eau vive des vieilles chansons.

La berceuse qui me fut chère,
Le doux chant naguère entendu,
Le chant que me chantait ma mère
Avec ma mère s'est perdu.

LA MÈRE, ELLE, EST SANS PLAINTE...

La voilà, pauvre mère, à Paris arrivée
Avec ses deux enfants, sa fidèle couvée !
Veuve, et chaste, et sévère, et toute au deuil pieux,
Elle les a, seize ans, élevés sous ses yeux
En province en sa ville immense et solitaire,
Déserte à voir, muette autant qu'un monastère
Où croît l'herbe au pavé, la triste fleur au mur,
Au cœur le souvenir longtemps, sérieux et sûr.
Mais aujourd'hui qu'il faut que son fils se décide
A quelque état, jeune homme et docile et timide,
Elle n'a pas osé le laisser seul venir ;
Elle le veut encor sous son aile tenir ;
Elle veut le garder de toute impure atteinte,
Veiller en lui toujours l'image qu'elle a peinte
(Sainte image d'un père !), et les devoirs écrits
Et la pudeur puisée à des foyers chéris ;
Elle est venue. En vain chez sa fille innocente,
L'ennui s'émeut parfois d'une compagne absente,
Et l'habitude aimée agite son lien :
La mère, elle, est sans plainte et ne regrette rien.
Mais si son fils, dehors qu'appelle quelque étude,
Est sorti trop longtemps pour son inquiétude,
Si le soir, auprès d'elle, il rentre un peu plus tard,

Sous sa question simple observez son regard !
Pauvre mère ! elle est sûre, et pourtant sa voix tremble.
Ô trésor de douleurs, – de bonheurs tout ensemble !
Car, passé ce moment, et le cadre remis,
Comme aux soirs de province, avec quelques amis
Retrouvés ici même, elle jouit d'entendre
(Cachant du doigt ses pleurs) sa fille, voix si tendre,
Légère, qui s'anime en éclat argenté,
Au piano, – le seul meuble avec eux apporté.

(Poèmes d'août)

MA MÈRE, LA DOULCE ET DÉBONNAIRE…

Hélas ! hélas ! bien puis crier et braire,
Quand j'ay perdu ma mère et ma nourrice,
Qui doulcement me souloit faire taire.
Or n'y a mais ame qui me nourrice,
Ne qui ma faim de son doulz lait garisse.
Jamais de moy nul ne prendra la cure,
Puis qu'ay perdu ma doulce nourriture.

Plaindre et plourer je doy bien mon affaire ;
Car je me sens povre, foiblet et nyce,
Et non sachant pour aucun proffit faire ;
Car jeune suis de sens et de malice.
Or convendra qu'en orphante languisse,
Et que j'aye mainte male aventure,
Puis qu'ay perdu ma doulce nourriture.

Le temps passé a tous souloie plaire,
Et m'offroit on honneurs, dons et service,
Quand ma mère la doulce et débonnaire
Me nourrissoit ; or fault que tout tarrisse,
Et qu'a meschief et a doleur perisse
Plein de malons et de pouvre enjouture,
Puis qu'ay perdu ma doulce nourriture.

(Ballades)

MÉMOIRE

Madame se tient trop debout dans la prairie
prochaine où neigent les fils du travail ; l'ombrelle
aux doigts foulant l'ombelle ; trop fière pour elle ;
des enfants lisant dans la verdure fleurie
leur livre de maroquin rouge ! Hélas, Lui, comme
mille anges blancs qui se séparent sur la route,
s'éloigne par-delà la montagne ! Elle, toute
froide, et noire, court ! après le départ de l'homme !

(*Nouveaux Vers*)

LA MAISON PATERNELLE

Inoubliable est la demeure
Qui vit fleurir nos premiers jours !
Maison des Mères ! C'est toujours
La plus aimée et la meilleure.

Ici c'est le papier fleuri
Dont, les jours de fièvre moroses,
Nous comptions les guirlandes roses
D'un long regard endolori.

Là, vers Noël, à la nuit proche,
Nous déposions nos fins souliers…
Combien de détails familiers
S'éveillent au bruit d'une cloche !

C'est là que la plus jeune sœur
Apprit à marcher en décembre ;
Le moindre coin de chaque chambre
A des souvenirs de douceur.

Rien n'a changé ; les glaces seules
Sont tristes d'avoir recueilli
Le visage un peu plus vieilli
Des mélancoliques aïeules.

Tout est pareillement rangé,
Et, dans la lumière amortie,
S'éternise la sympathie
Du logis qui n'a pas changé.

Fauteuils des anciennes années
Où l'on nous couchait endormis,
Fauteuils démodés, vieux amis,
Avec leurs étoffes fanées,

Meubles familiarisés
Par une immuable attitude,
Mettant des charmes d'habitude
Dans les salons tranquillisés,

Jardin en fleur, vigne, tonnelle,
Empreinte vague de nos pieds,
Sur les tapis et les sentiers,
Ô sainte maison paternelle,

Qui donc pourrait vous oublier,
Logis où dort notre âme en cendre,
Surtout quand on a vu descendre
Des cercueils chers sur l'escalier !

(La Jeunesse blanche)

MILLY OU LA TERRE NATALE

Voilà la place vide où ma mère à toute heure
Au plus léger soupir sortait de sa demeure,
Et, nous faisant porter ou la laine ou le pain,
Vêtissait l'indigence ou nourrissait la faim ;
Voilà les toits de chaume où sa main attentive
Versait sur la blessure ou le miel ou l'olive,
Ouvrait près du chevet des vieillards expirants
Ce livre où l'espérance est permise aux mourants,
Recueillait leurs soupirs sur leur bouche oppressée,
Faisait tourner vers Dieu leur dernière pensée,
Et tenant par la main les plus jeunes de nous,
A la veuve, à l'enfant, qui tombaient à genoux,
Disait, en essuyant les pleurs de leurs paupières :
Je vous donne un peu d'or, rendez-leur vos prières !
Voilà le seuil, à l'ombre, où son pied nous berçait,
La branche du figuier que sa main abaissait,
Voici l'étroit sentier où, quand l'airain sonore
Dans le temple lointain vibrait avec l'aurore,
Nous montions sur sa trace à l'autel du Seigneur
Offrir deux purs encens, innocence et bonheur !
C'est ici que sa voix pieuse et solennelle
Nous expliquait un Dieu que nous sentions en elle ;
Et nous montrant l'épi dans son germe enfermé,

La grappe distillant son breuvage embaumé,
La génisse en lait pur changeant le suc des plantes,
Le rocher qui s'entrouvre aux sources ruisselantes
La laine des brebis dérobée aux rameaux
Servant à tapisser les doux nids des oiseaux,
Et le soleil exact à ses douze demeures,
Partageant aux climats les saisons et les heures,
Et ces astres des nuits que Dieu seul peut compter,
Mondes où la pensée ose à peine monter,
Nous enseignait la foi par la reconnaissance,
Et faisait admirer à notre simple enfance
Comment l'astre et l'insecte invisible à nos yeux
Avaient, ainsi que nous, leur père dans les cieux !

(Harmonies poétiques et religieuses)

Ô MA MÈRE ADORÉE...

Je vais revoir les sentiers de l'étroite vallée

Où se penchant vers moi quelques soleils joyeux

Versèrent leurs rayons sur mon âme isolée,

    Portant le bonheur avec eux.

Peut-être maintenant, ô ma mère adorée,

Serai-je tout entier à tes embrassements ;

Près de toi, loin du monde où tu vis ignorée,

Peut-être, irai-je un jour consoler tes vieux ans.

(Poésies plaintives d'un jeune déserteur,
détenu à la prison militaire de Dax)

Je ne veux plus aimer que ma mère Marie.
Tous les autres amours sont de commandement.
Nécessaires qu'ils sont, ma mère seulement
Pourra les allumer aux cœurs qui l'ont chérie.

(Sagesse)

LA MÈRE EST LÀ…

Regardez : les enfants se sont assis en rond.
Leur mère est à côté, leur mère au jeune front
    Qu'on prend pour une sœur aînée ;
Inquiète, au milieu de leurs jeux ingénus,
De sentir s'agiter leurs chiffres inconnus
    Dans l'urne de la destinée.

Près d'elle naît leur rire et finissent leurs pleurs,
Et son cœur est si pur et si pareil aux leurs.
    Et sa lumière est si choisie,
Qu'en passant à travers les rayons de ses jours,
La vie aux mille soins, laborieux et lourds,
    Se transfigure en poésie !

Toujours elle les suit, veillant et regardant,
Soit que janvier rassemble au coin de l'âtre ardent
    Leur joie aux plaisirs occupée ;
Soit qu'un doux vent de mai, qui ride le ruisseau,
Remue au-dessus d'eux les feuilles, vert monceau
    D'où tombe une ombre découpée.

Parfois, lorsque, passant près d'eux, un indigent
Contemple avec envie un beau hochet d'argent
    Que sa faim dévorante admire,
La mère est là ; pour faire, au nom du Dieu vivant,
Du hochet une aumône, un ange de l'enfant,
    Il ne lui faut qu'un doux sourire !

Et moi qui, mère, enfants, les vois tous sous mes yeux,
Tandis qu'auprès de moi les petits sont joyeux
    Comme des oiseaux sur les grèves,
Mon cœur gronde et bouillonne, et je sens lentement,
Couvercle soulevé par un flot écumant,
    S'entr'ouvrir mon front plein de rêves.

(Les Voix intérieures)

LE BRUIT DES BERCEAUX

Ô le doux bruit des berceaux
Que bercent les mères,
Comme les brises légères
Bercent les roseaux !
Ô les songes doux, peuplés de chimères,
Que ce bruit joli fait épanouir !
Au bruit des berceaux que bercent les mères,
Les anges du ciel doivent s'endormir.

Ô le doux bruit des berceaux
Que bercent les mères,
Comme le vent des clairières
Berce les oiseaux !
La douce chanson que, par les nuits claires,
A l'entour de moi j'écoute frémir…
Au bruit des berceaux que bercent les mères,
Tous les cœurs humains devraient s'endormir !

Ô le doux bruit des berceaux
Que bercent les mères,
Comme les vagues amères
Bercent les vaisseaux !
La peur de l'orage et l'horreur des guerres
Hantent les berceaux et les font gémir…
Au bruit des berceaux que bercent les mères,
La haine et les flots devraient s'endormir !

A LA MÈRE DE L'ENFANT MORT

Oh ! vous aurez trop dit au pauvre petit ange
Qu'il est d'autres anges là-haut,
Que rien ne souffre au ciel, que jamais rien n'y change,
Qu'il est doux d'y rentrer bientôt ;

Que le ciel est un dôme aux merveilleux pilastres,
Une tente aux riches couleurs,
Un jardin bleu rempli de lis qui sont des astres,
Et d'étoiles qui sont des fleurs ;

Que c'est un lieu joyeux plus qu'on ne saurait dire,
Où toujours, se laissant charmer,
On a les chérubins pour jouer et pour rire,
Et le bon Dieu pour nous aimer ;

Qu'il est doux d'être un cœur qui brûle comme un cierge,
Et de vivre, en toute saison,
Près de l'enfant Jésus et de la sainte Vierge
Dans une si belle maison !

Et puis vous n'aurez pas assez dit, pauvre mère,
A ce fils si frêle et si doux,
Que vous étiez à lui dans cette vie amère,
Mais aussi qu'il était à vous ;

Que, tant qu'on est petit, la mère sur nous veille,
Mais que plus tard on la défend ;
Et qu'elle aura besoin, quand elle sera vieille,
D'un homme qui soit son enfant ;

Vous n'aurez point assez dit à cette jeune âme
Que Dieu veut qu'on reste ici-bas,
La femme guidant l'homme et l'homme aidant la femme,
Pour les douleurs et les combats ;

Si bien qu'un jour, ô deuil ! irréparable perte !
Le doux être s'en est allé !... —
Hélas ! vous avez donc laissé la cage ouverte,
Que votre oiseau s'est envolé !

(Les Contemplations)

AIMEZ QUI VOUS AIMA...

Aimez qui vous aima du berceau dans la bière ;
Celle que j'aimai seul m'aime encor tendrement...

(Les Chimères)

LOIN DE LA MÈRE

En la lumière et dans le mouvement, longtemps
Porté sur mon épaule ainsi qu'un poids d'amphore…

Mais il veut seul s'en aller, mon enfant…
        Attends

encore, ô sans-retour ! qui depuis les demeures
d'antan de mon ventre, t'en vas toutes les heures
plus loin de moi ! plus loin que de mes longues mains
le rêve te portant, d'où s'est-il dit peut-être
que tu verrais longtemps lentement apparaître
les éternels phantasmes des muants Demains !

Mais il veut seul s'en aller, mon enfant…
        Attends

ô ! dont le pied sur le pantèlement de Vivre
ne se pose pas sûr, ô toi ! toi qu'un délivre
essentiel pour éternellement à moi
retient !… Attends, tu ne sais pas si dans l'émoi
de soirs, tu ne souhaiteras dans les dolences
de ma Matrice

rentrer ! et si, aux Silences
emplis pourtant d'une angoisse d'atomes, les
planètes ne souffrent
de, vers leurs étoilés
soleils, ne s'emporter hors des ellipses !…
[…]

(L'Ordre altruiste)

MONOLOGUE DE L'AMOUR MATERNEL

Qu'on
Change
Son
Lange !

Mange,
Mon
Bon
Ange.

Trois
Mois
D'âge… !

Sois
Sage :
Bois.

(L'Église des Totalistes)

LES ENFANTS ET LES MÈRES

Le jeune enfant, comme un oiseau
Gazouille en son lit blanc et rose.
La mère, à côté du berceau,
Attend que son bébé repose.
Gracieuse et tendre, sa voix
Fredonne une ancienne romance,
Une complainte d'autrefois,
Que, sans cesse, elle recommence.

Alors, faisant des rêves d'or,
Pleins de merveilles, de chimères,
Dans ses langes bébé s'endort :
Les enfants font chanter les mères.

L'enfant a dix ans aujourd'hui ;
C'est une petite personne,
Et, chez sa mère, grâce à lui,
Tout chante, tout rit, tout rayonne ;
Il rend moins sombre l'horizon
De la vieillesse monotone.
C'est le soleil de la maison
Et le printemps de notre automne.

Il converse avec ses joujoux,
Demande si les petits frères
Viennent au monde sous les choux :
Les enfants font rire les mères.

L'enfant vient de partir soldat.
La Patrie, au lointain, l'appelle ;
En France d'un sanglant combat
Tout à coup survient la nouvelle.
La mère, hélas ! se sent mourir
Chaque fois qu'une lettre arrive ;
Tremblante, sans oser l'ouvrir,
Elle regarde la missive.

Au cœur, un doute affreux la mord :
Que vont dire ces lettres chères ?…
Est-ce la vie ?… Est-ce la mort ?…
Les enfants font trembler les mères.

L'enfant vient de se marier ;
La mère se change en aïeule ;
Ce coup cruel, c'est le dernier.

Au logis elle rentre seule.
Elle le voudrait, son petit !
Hélas ! la jeunesse a des ailes !
L'enfant, pour toujours, est parti,
Parti pour des amours nouvelles !

Elle rentre, l'œil attristé,
Et versant des larmes amères,
Dans le pauvre nid déserté :
Les enfants font pleurer les mères.

(La Muse à bébé)

OUBLI

Ô ma mère, le vent chasse les feuilles rousses,
Mais je te charmerai par des paroles douces !
Voici de pauvres fleurs qui tremblaient sous les cieux :
Toi, tu les trouveras charmantes entre toutes,
Et mes chants seront beaux, puisque tu les écoutes,
Et ce jour terne et gris sera délicieux.

Qui le sait mieux que toi ? C'est ainsi depuis Ève.
Notre mère toujours est folle de son rêve,
Et s'amuse au babil des enfants querelleurs.
Tu n'as pas de soucis pourvu que tu nous voies,
Car tu sais oublier pour les plus humbles joies
Les ennuis de ta vie et les pires douleurs.

(Roses de Noël)

BERTILE

Voici que ma maison est vivante et folâtre,
Et que Dieu l'aperçoit ;
L'oiseau du paradis, le bonheur, vient s'abattre
Et chanter sur mon toit.
Hier, dans mon jardin, une fleur est éclose
Sur le plus frais rosier ;
Hier un bel enfant, autre céleste rose,
Est né dans mon foyer.

Bonjour, petit enfant, petit roseau qui penches,
Bonjour, mon diamant ;
Dis, ma Bertile, dis, colombe aux plumes blanches
Qui viens du firmament,
Quels dons as-tu reçus de Jésus, de sa mère,
De l'ange Gabriel,
Qui t'ouvrirent en pleurs, pour t'envoyer sur terre,
Les portes d'or du ciel ?

[...]

Si j'avais été là, dans le ciel de lumière,
D'où l'enfant descendit,
Moi, j'aurais fait un vœu profane, un vœu de mère ;
Tout haut, j'aurais bien dit :
Vierge, vous êtes sainte, oh ! mettez-lui dans l'âme

Candeur et pureté !
Mais j'aurais dit tout bas : Vierge, vous êtes femme,
Donnez-lui la beauté !

Merci, vous m'exaucez, ma fille est déjà belle !
Je l'admire et j'attends.
Tout germe, tout sourit, et tout est frais en elle
Et couleur du printemps.
Bouche en fleur, peau de soie, à la teinte vermeille,
Longs yeux noirs et jolis,
Tout est dans ce berceau : n'est-ce pas la corbeille
Où fleurit mon beau lis !

ANNA DE NOAILLES (1876-1933)

LA COURSE DANS L'AZUR

A mon enfant

Mon fils, tenez-vous à ma robe,
Soyez ardent et diligent :
Déjà le matin luit, le globe
Est beau comme un lingot d'argent !

C'est de désir que ma main tremble,
Venez avec moi dans le vent ;
Nous aurons quatre ailes ensemble,
Nous boirons le soleil levant.
[...]

Retenez-vous à mon écharpe ;
Vous êtes mon fils : il faut bien
Que vos cheveux, comme une harpe,
Jettent un chant éolien !

Vous avez dormi dans mon âme :
Il faut que votre être vermeil
S'élance, s'émeuve, se pâme ;
Combattez avec le soleil !

L'air frappera votre visage ;
Avancez, joyeux, furieux.
L'important n'est pas d'être sage,
C'est d'aller au-devant des Dieux.

Comme on voit, sur un vase étrusque,
La danseuse et le faune enfant,
Nous poserons, d'un geste brusque,
Sur le monde un pied triomphant.
[...]

Que m'importe votre doux âge !
On est fort avant d'être grand ;
Je suis née avec mon courage ;
Soyez un petit aigle errant.
[...]

POUR ENDORMIR MA FILLE

Tous les petits oiseaux du bois
Ont caché leur tête à la fois
        Sous leur aile ;
Tous les petits enfants aimés
Ont éteint de leurs yeux fermés
        L'étincelle

Les marguerites dans les prés,
Les alouettes dans les blés,
        Tout repose
Et dort maintenant comme vous,
Ô mon oiseau joyeux et doux,
        Ô ma rose.

Mais ce pauvre nid suspendu
Mal protégé, mal défendu,
        Se balance ;
Les petits oiseaux effrayés
Que le vent froid a réveillés
        Font silence.

Car leur mère, ô ma belle enfant,
Ce matin, d'un vol triomphant,
        S'est sauvée.
Cherchant tout le long du chemin
De quoi nourrir encor demain
        Sa couvée.

Puis un faucheur qui revenait,
Tandis qu'au champ elle glanait
        L'a surprise,
Gémissant sur son cher trésor
Abandonné si frêle encor
        A la bise.

Près du petit nid isolé,
Tout refroidi, tout désolé,
        Le vent gronde.
Moi, je rêve, et je dis : Hélas !
Mon Dieu, ne me retirez pas
        De ce monde.

Ingrats qui nous font tant souffrir,
Toujours trembler, souvent mourir
        Avant l'heure.
Vous oubliez vite un trépas,
Anges sereins qui n'aimez pas
        Quand on pleure.

Ainsi vont toutes mes chansons
S'accrochant aux plus noirs buissons
        Par les ailes,
Et ramenant parmi les fleurs
Les nids perdus, et les douleurs
        Maternelles.

LES BAISERS

Écartez mes cheveux comme vous le faisiez
Lorsque ce front livide était plein de rosiers,
Et que ma pâle joue était encore fleurie ;
Et venez y poser votre lèvre chérie.
Car bien qu'ils soient déjà flétris, nos cheveux d'or,
Nos mères de leurs doigts les caressent encor,
Et toujours les baisers célestes de leurs lèvres
Savent guérir nos fronts brûlés par mille fièvres.

(Roses de Noël)

CHRISTINE A SON FILS

Fils, je n'ai mie grand trésor
Pour t'enrichir, mais, au lieu d'or,
Aulcuns enseignements montrer
Te vueil, si les vueilles noter.

Dès ta jeunesse pure et monde,
Apprends à connaître le monde,
Si que tu puisses par apprendre
Garder en tous cas de méprendre.

Aie pitié des pauvres gens
Que tu vois nus et indigents,
Et leur aides quand tu pourras !
Souviengne toi que tu mourras.

Aime qui te tient ami
Et te gard' de ton ennemi :
Nul ne peut avoir trop d'amis,
Il est nuls petits ennemis.

Ne laisse pas que Dieu servir
Pour au monde trop asservir :
Car biens mondains vont à desfin
Et l'âme durera sans fin.

(Ballades)

D'UNE ENFANCE

L'ombre semblait de la richesse dans la chambre,
où, engourdi, comme en secret, était assis l'enfant.
Et quand sa mère entra – c'est comme un songe –
dans le buffet vibra soudain un verre.
La chambre, sentit-elle, l'avait trahie ;
elle embrassa l'enfant : Es-tu ici ?…
Tous deux, des yeux, inquiets, cherchèrent le piano,
car certains soirs elle y trouvait un chant
où l'enfant se perdait étrangement.

Il était là, très sage. Son grand regard
à la main suspendu qui, ployée par l'anneau,
comme marchant contre la neige et la tourmente,
allait sur les touches blanches.

TENTANDA VIA EST

Ne vous effrayez pas, douce mère inquiète
Dont la bonté partout dans la maison s'émiette,
De le voir si petit, si grave et si pensif.
Comme un pauvre oiseau blanc qui, seul sur un récif,
Voit l'océan vers lui monter du fond de l'ombre,
Il regarde déjà la vie immense et sombre.
Il rêve de la voir s'avancer pas à pas.
Ô mère au cœur divin, ne vous effrayez pas,
Vous en qui, tant votre âme est un charmant mélange,
L'ange voit un enfant et l'enfant voit un ange.

Allons, mère, sans trouble et d'un air triomphant
Baisez-moi le grand front de ce petit enfant.
Ce n'est pas un savant, ce n'est pas un prodige.
C'est un songeur ; tant mieux. Soyez fière, vous dis-je !
La méditation du génie est la sœur,
Mère, et l'enfant songeur fait un homme penseur,
Et la pensée est tout, et la pensée ardente
Donne à Milton le ciel, donne l'enfer à Dante !
Un jour il sera grand. L'avenir glorieux
Attend, n'en doutez pas, l'enfant mystérieux
Qui veut savoir comment chaque chose se nomme,
Et questionne tout, un mur autant qu'un homme.

Qui sait si, ramassant à terre sans effort
Le ciseau colossal de Michel-Ange mort,
Il ne doit pas, livrant au granit des batailles,
Faire au marbre étonné de superbes entailles ?
Ou, comme Bonaparte ou bien François premier,
Prendre, joueur d'échecs, l'Europe pour damier ?
Qui sait s'il n'ira point, voguant à toute voile,
Ajoutant à son œil, que l'ombre humaine voile,
L'œil du long télescope au regard effrayant,
Ou l'œil de la pensée encor plus clairvoyant,
Saisir, dans l'azur vaste ou dans la mer profonde,
Un astre comme Herschell, comme Colomb un monde ?

Qui sait ? Laissez grandir ce petit sérieux.
Il ne voit même pas nos regards curieux.
Peut-être que déjà ce pauvre enfant fragile
Rêve, comme rêvait l'enfant qui fut Virgile,
Au combat que poursuit le poète éclatant ;
Et qu'il veut, aussi lui, tenter, vaincre et sortant
Par un chemin nouveau de la sphère où nous sommes,
Voltiger, nom ailé, sur les bouches des hommes.

(Les Voix intérieures)

LETTRE A UNE SŒUR

Ma sœur ! Oh ! quel doux temps ce doux nom me rappelle !

Tendre couple buvant à la même mamelle

Que notre jeune mère, en se penchant sur nous,

Asseyait et berçait sur les mêmes genoux ! [...]

Ma mère ! est-il bien vrai ? Dieu nous rend notre mère !

Les vents ont sous sa voile aplani l'onde amère ! [...]

Mais, dis-moi, rien n'a-t-il changé sur ses beaux traits ?

Le temps, le long exil, ses soucis, ses regrets,

Des vents plus froids ont-ils passé sur ce visage

Sans laisser, comme au ciel, trace de leur passage ?

Son œil a-t-il toujours ce tendre et chaud rayon

Dont nos fronts ressentaient la tiède impression ?

Sur sa lèvre attendrie et pâle, a-t-elle encore

Ce sourire toujours mourant ou près d'éclore ?

Son front a-t-il gardé ce petit pli rêveur

Que nous baisions tous deux pour l'effacer, ma sœur,

Quand son âme, le soir, au jardin, recueillie,

Nous regardait jouer avec mélancolie ? […]

Sa voix a-t-elle encor ce doux timbre d'argent,

Ces caresses de sons sur des lèvres nageant,

D'où notre nom tombait et résonnait si tendre,

Que souvent ma pensée en rêve croit l'entendre ?

[…]

(Jocelyn)

QUAND JE PENSE A MA MÈRE

Sa belle ombre qui passe à travers tous mes jours,
Lorsque je vais tomber, me relève toujours.

Et je voudrais lui rendre aussi l'enfant vermeil
La suivant au jardin, sous l'ombre et le soleil,

Ou couchée à ses pieds, sage petite fille,
La regardant filer pour l'heureuse famille.

Je voudrais tout un jour, oubliant nos malheurs,
La contempler, vivante, au milieu de ses fleurs !

Je voudrais, dans sa main qui travaille et qui donne,
Pour ce pauvre qui passe aller puiser l'aumône.

Elle a passé ! Depuis mon sort tremble toujours,
Et je n'ai plus de mère où s'attachent mes jours.

L'AMOUR PIQUÉ PAR UNE ABEILLE

Le petit enfant Amour
Cueillait des fleurs à l'entour
D'une ruche, où les avettes
Font leurs petites logettes.

Comme il les allait cueillant,
Une avette sommeillant
Dans le fond d'une fleurette
Lui piqua la main douillette.

Sitôt que piqué se vit,
« Ah ! je suis perdu » ce dit,
Et, s'en courant vers sa mère,
Lui montra sa plaie amère ;

« Ma mère, voyez ma main,
Ce disait Amour, tout plein
De pleurs, voyez quelle enflure
M'a fait une égratignure ! »

Alors Vénus se sourit
Et en le baisant le prit,
Puis sa main lui a soufflée
Pour guérir sa plaie enflée.

« Qui t'a, dis-moi, faux garçon,
Blessé de telle façon ?
Sont-ce mes Grâces riantes,
De leurs aiguilles poignantes ?

— Nenni, c'est un serpenteau,
Qui vole au printemps nouveau
Avecques deux ailerettes
Çà et là sur les fleurettes.

— Ah ! vraiment je le connois,
Dit Vénus ; les villageois
De la montagne d'Hymettte
Le surnomment Mélissette.

Si doncques un animal
Si petit fait tant de mal,
Quand son alène époinçonne
La main de quelque personne,

Combien fais-tu de douleur,
Au prix de lui, dans le cœur
De celui en qui tu jettes
Tes amoureux sagettes ? »

(Les Odes anacréontiques)

LA MAMAN

Qui nous aime dès la naissance ?
Qui donne à notre frêle enfance
Son doux, son premier aliment ?
C'est la maman.

Bien avant nous qui donc s'éveille ?
Bien après nous quel ange veille,
Penché sur notre front dormant ?
C'est la maman.

A nous rendre sage qui pense ?
Qui jouit de la récompense
Et s'afflige du châtiment ?
C'est la maman.

Aussi, qui devons-nous sans cesse
Bénir pendant notre jeunesse,
Chérir jusqu'au dernier moment ?
C'est la maman.

(La Lyre égarée)

MA FILLE, VA PRIER !

Ma fille, va prier ! – D'abord, surtout, pour celle
Qui berça tant de nuits ta couche qui chancelle,
Pour celle qui te prit, jeune âme, dans le ciel,
Et qui te mit au monde, et depuis, tendre mère,
Faisant pour toi deux parts dans cette vie amère,
Toujours a bu l'absinthe et t'a laissé le miel !

LA MÈRE ET L'ENFANT

« **J**e possède, dit la mère,

Deux bleuets d'un bleu si doux

Que ceux des champs sont jaloux.

Qui devine le mystère ?... »

L'enfant dit en riant : « Oh ! moi je m'y connais ;

Mes deux yeux sont tes deux bleuets ! »

« J'ai toujours fraîche et merveille,

Une fleur qui sait parler,

Et sourire, et m'appeler ;

C'est bien une autre merveille. »

L'enfant dit en touchant ses lèvres : « M'y voici !

Ta fleur sait t'embrasser aussi. »

« J'ai sans qu'on y prenne garde,

Un collier qui n'est pas d'or,

Mais plus précieux encor :

Mon cou, nuit et jour, le garde. »

– « Ton collier, dit l'enfant, je ne m'y trompe pas,

Est fait de mes deux petits bras. »

« Je possède une autre chose

Sans laquelle je mourrais,

Quand même je garderais

Collier, bleuets, fleur qui cause… »

L'enfant dit, tout ému d'amour et de bonheur :

« Cette fois, mère, c'est mon cœur. »

LE BAISER D'UNE MÈRE

J'aime, après un beau jour, une nuit vaporeuse,

Et le ciel parsemé de mille étoiles d'or,

Et la lune d'argent, qui vient, mystérieuse,

Épandre sa pâleur sur le monde qui dort.

J'aime aussi du matin la senteur embaumée,

La rosée émaillant l'arbuste de ses pleurs ;

J'aime du doux zéphyr l'haleine parfumée,

Et l'oiseau s'éveillant dans les bosquets en fleurs.

Lorsque tombe le soir avec mélancolie,

Que frissonne dans l'air un souffle harmonieux,

J'aime du rossignol la fraîche mélodie,

Voix pure qu'on prendrait pour une voix des cieux.

J'aime un bel enfant blond, et sa mine éveillée,

Et son regard parfois si mutin et si fou,

Et ses propos naïfs, charmes de la veillée,

Et ses cheveux flottants tout bouclés sur son cou.

Mais j'aime mieux encor les baisers d'une mère,

Son sourire divin, son amour consolant ;

J'aime mieux les accents de la douce prière

Qu'elle fait bégayer à son plus jeune enfant.

COMBIEN J'AI DOUCE SOUVENANCE

Combien j'ai douce souvenance
Du joli lieu de ma naissance !
Ma sœur, qu'ils étaient beaux ces jours
    De France !
Ô mon pays, sois mes amours
    Toujours !

Te souvient-il que notre mère,
Au foyer de notre chaumière,
Nous pressait sur son cœur joyeux,
    Ma chère ?
Et nous baisions ses blancs cheveux
    Tous deux.

Ma sœur, te souvient-il encore
Du château que baignait la Dore,
Et de cette tant vieille tour
    Du Maure,
Où l'airain sonnait le retour
    Du jour ?

Te souvient-il du lac tranquille
Qu'effleurait l'hirondelle agile,
Du vent qui courbait le roseau
    Mobile,
Et du soleil couchant sur l'eau,
    Si beau ?

Te souvient-il de cette amie,
Tendre compagne de ma vie,
Dans les bois en cueillant la fleur
    Jolie,
Hélène appuyait sur mon cœur
    Son cœur.

Oh ! qui me rendra mon Hélène,
Et ma montagne, et le grand chêne ?
Leur souvenir fait tous les jours
    Ma peine :
Mon pays sera mes amours
    Toujours.

(Les Aventures du dernier Abencérage)

TOUTE MON ÂME

Depuis le jour où je suis né,
Songeur que Dieu voulut élire
Pour unir son chant obstiné
A la mystérieuse Lyre,

Tu m'as aimé, tu m'as guéri,
Tu m'as donné, dans tes alarmes,
Avec ton lait qui m'a nourri,
Tant de chers baisers, tant de larmes !

Par toi j'ai pu vivre et penser.
Tu fus ma nourrice et mon Ange,
Et moi, pour te récompenser,
Qu'ai-je à te donner en échange ?

Pour toi, source de tout mon bien,
Gardienne attentive et charmée,
Je n'ai rien, pas même ce rien
Que l'on appelle renommée.

Je n'ai rien, lorsque c'est mon tour !
Je n'ai rien, cœur brûlé de flamme,
Que ma tendresse et mon amour ;
Je n'ai rien que toute mon âme.

(Roses de Noël)

C'EST MA MÈRE

Qui m'a couvé neuf mois dans son sein gros d'alarmes ?
Qui salua ma vie avec des pleurs joyeux ?
Qui, sous ses longs baisers, éparpillait mes larmes ?
C'est ma mère ! Une mère, ses bras pleins de charmes,
Nous reçoit tout tremblants, quand nous tombons des cieux.

Qui relevait mes pas quand je rampais à terre,
Forte de son sourire où s'arrêtaient mes pleurs ?
Sa bouche sur ma bouche, oh ! qui me faisait taire ?
C'est ma mère ! Une mère, avec un saint mystère,
Enveloppe nos cris dans ses chants ou ses fleurs !

Qui soutenait ma tête et retenait ma vie,
Quand mon berceau brûlait de mes fièvres d'enfant ?
Qui promettait le monde à ma rêveuse envie ?
C'est ma mère ! Une mère à toute heure est suivie
D'un ange à la main pleine, au rire triomphant !

Qui, quand l'insomnie ouvrait mes yeux dans l'ombre,
Me faisait des tableaux plus doux que le sommeil ?
Qui m'apprenait que Dieu veille dans la nuit sombre ?
C'est ma mère ! Une mère a des secrets sans nombre
Pour délecter notre âme à l'heure du réveil !

Quand elle eut délié ma langue à la prière,
Qui battait la mesure à mes douces chansons ?
Sur mon livre muet qui versa la lumière ?
C'est ma mère ! Une mère ouvre notre paupière ;
Au feu de ses regards, moi, j'ai lu mes leçons.

Quand elle vieillira… Dieu ! n'est-ce pas un rêve ?
On a dit qu'elle aura bientôt des cheveux blancs ;
Qu'elle inclinera comme un jour qui s'achève,
Cette mère ! A son cœur nous prenons tant de sève,
Dis, que ce sera triste à voir ses pas tremblants !

Si tu veux, nous irons où l'on trouve des roses,
Pour lier une fleur à chacun de ses jours ;
Nous irons dans un bois sombre, et loin, si tu l'oses,
Et nous la retiendrons par tant de belles choses,
Qu'à force d'être heureuse elle vivra toujours !

(Le Livre des mères)

LE PETIT MOUSSE

Une femme attendait sur un autre rivage :
On entendait les flots rugir contre la plage,
Les matelots chanter, la femme soupirer.
Elle venait ainsi devant la mer sans borne,
Ce grand tableau sans cadre, au ton verdâtre et morne,
Attendre tous les jours, regarder et pleurer.

Par un flux et reflux, sur la rive et dans l'âme,
Toujours les flots mouvants et l'espoir de la femme
Montaient et s'abaissaient. Ces flots pleins d'ouragan
Roulaient peut-être, avec quelques plantes marines,
Son fils chéri ! Qui sait combien de perles fines
Et d'êtres adorés nous cache l'Océan ?…

Tout à coup elle croit voir un point dans l'espace.
« C'est peut-être, dit-elle, un goéland qui passe… »
Non, c'est comme un poisson que l'on voit nager…
Il grandit, le contour se forme et se colore ;
C'est un bateau pêcheur… Il se rapproche encore,
Mon Dieu, c'est un vaisseau ! bien plus, c'est l'espoir !

Mais il aborde au port… — « Matelots, parlez vite,
M'amenez-vous mon fils ?… Votre regard m'évite !…
C'était un mousse alerte, au teint d'un frais carmin,
Mon Georges… c'est son nom. Dieu ! l'ouragan, la trombe
L'ont peut-être jeté dans les flots, seule tombe
Dont les mères en pleurs ignorent le chemin !

— Me voilà, mère ! vite un baiser !… C'est moi-même
S'écrie en bondissant le mousse… Que je t'aime !
Leur vaisseau m'a sauvé… Mon Dieu, quel jour béni !
Je reste, je renonce à mes cieux sans limite,
A mes vagues sans fin ; ta maison est petite,
Mais l'amour d'une mère est un autre infini. »

Sa mère… Mais comment dire un amour de flamme ?
C'est un feuillet divin dans l'histoire de l'âme :
Lisez-le dans vos cœurs ; ils vous peindront mieux
Cette heure du retour si tendre et si joyeuse,
Heure du Paradis, qui sonne harmonieuse,
Et que Dieu doit marquer sur un cadran des cieux !

Sa mère ne dit point : « Ma douleur fut amère ;
J'attendais en pleurant, comme attend une mère ;
Mon Dieu ! que j'ai prié, souffert et sangloté ! »
Elle le contempla sans dire une parole,
Le pressa sur son cœur, l'embrassa presque folle,
Et dans un seul baiser tout lui fut raconté.

LES MIENS

Mes enfants pour jouer ensemble
Ont mille jeux étourdissants,
Ils gambadent, le parquet tremble,
L'air est plein de leurs cris perçants.

Les voici qui livrent bataille
Au mur, l'ennemi supposé ;
Les joujoux servent de mitraille,
Et plus d'un retombe brisé.

Je redoute que leurs vacarmes
Ne s'interrompent brusquement
Par un chaud déluge de larmes,
Ou des discordes d'un moment.

Quand ils sont calmes, chose rare,
Je flaire quelque guet-apens :
C'est qu'une farce se prépare,
Dans le silence, à mes dépens.

Mais je n'en suis pas la maîtresse,
Ils sont trop tendres, trop malins,
Et j'aime comme une caresse
Leurs airs suppliants et câlins.

Je deviens, alors, leur compagne,
Ma présence excite leurs jeux,
Leur bruyante gaîté me gagne,
Je chante et je danse avec eux.

Et je les appelle des anges,
Et la voisine des bandits.
Ô goûts différemment étranges !
Son enfer est mon paradis.

Voilà la jeune rue et tu n'es encore

qu'un petit enfant

Ta mère ne t'habille que de bleu

et de blanc...

(Alcools)

Ô toi dont les baisers, sublime et pur lien !

A défaut de génie

M'ont donné le désir ineffable du bien,

Ma mère, sois bénie.

A MA MÈRE

Quand j'étais tout petit, espiègle et cher tyran,
Que j'avais des enfants la bruyante colère,
Que je frappais du pied – rappelle-toi, ma mère –,
Tu disais maintes fois : « Quand donc sera-t-il grand ? »

Mais me voici jeune homme. Hélas ! L'indépendance
M'entraîne en son courant. Tu souffres en secret ;
Tu penses à ces jours heureux de mon enfance ;
Ton espoir d'autrefois se transforme en regret.

Et lorsque loin de toi quelque plaisir m'attarde,
Inquiète, écoutant un pas qui retentit,
Tu te souviens ; ton cœur dans le passé regarde ;
Tu songes : « Que n'est-il encore tout petit ? »

Jeunes gens, mes amis, si vous lisez ces lignes
Qu'un tendre sentiment me dicte en un bon jour,
Oh ! rappelez-vous bien qu'il faut, pour rester dignes
Des baisers d'une mère et de tout son amour,

Repousser les désirs d'une liberté vaine,
Lui prouver votre amour en lui concédant tout,
Et, sans un seul soupir, savoir porter la chaîne
Que vous font ses deux bras passés à votre cou.
[...]

(Les Paroles sincères)

Je suis ta mère ! un nœud nous a tenus ensemble ;

C'est l'aimant divisé que l'aimant cherchera ;

La terre ne rompt pas ce que le ciel assemble :

Dans la vie, hors la vie, il nous réunira !

SOMMEIL D'ENFANT

Dans l'alcôve sombre
près d'un humble autel
L'enfant dort à l'ombre
Du lit maternel.
Tandis qu'il repose,
Sa paupière rose,
Pour la terre close,
S'ouvre pour le ciel.

Enfant, rêve encore.
Dors, ô mes amours,
Ta jeune âme ignore
Où s'en vont tes jours.
Comme une algue morte
Tu vas, que t'importe,
Mais tu dors toujours.

Cependant sa mère,
Prompte à le bercer,
Croit qu'une chimère
Le vient oppresser.
Fière, elle l'admire,
L'entend qui soupire,
Et le fait sourire
Avec un baiser.

SENTIMENT MATERNEL

J'ai connu de l'amour les secrètes alarmes,

J'ai goûté ses plaisirs et savouré ses larmes ;

De la sainte amitié, délice des mortels,

Ma main religieuse a paré les autels.

Mais l'amitié, l'amour et son brûlant délire,

N'éveillèrent jamais les accords de ma lyre ;

Sentiment maternel ! chaîne de l'univers !

Mon cœur reconnaissant te consacre des vers.

Fais du moins que, soumis à ta douce influence,

Ils coulent aussi purs que les jours de l'enfance !

Fais qu'une tendre mère en lisant mes récits,

Sente rouler des pleurs dans ses yeux obscurcis,

Les repose un moment sur l'enfant qu'elle adore,

Suspende sa lecture, et la reprenne encore ! [...]

Malheureux le mortel, en naissant isolé,

Que le doux nom de fils n'a jamais consolé !

Il cherche tristement un appui sur la terre ;

Et l'ennui vient s'asseoir sous son toit solitaire.

A l'aspect d'une mère et de ses fils joyeux,

Il gémit, et des pleurs s'échappent de ses yeux.

Étrangère au bonheur, son âme intimidée

N'ose vers son printemps remonter en idée :

Le temps blanchit sa tête et les ans l'ont vaincu…

Hélas ! il a vieilli, mais il n'a point vécu. […]

(L'Amour maternel)

LES BIENFAITS D'UNE MÈRE

Eh ! qui pourrait compter les bienfaits d'une mère ?
A peine nous ouvrons les yeux à la lumière
Que nous recevons d'elle, en respirant le jour,
La première leçon de tendresse et d'amour.
Son cœur est averti par nos premières larmes ;
Nos premières douleurs éveillent ses alarmes.
Sous les plus douces lois nous croissons près de vous,
Et c'est dès le berceau que vous régnez sur nous. [...]

(Œdipe chez Admète)

LES LEÇONS D'UNE MÈRE

Près de sa bonne, à ses genoux assise,
Venez la voir, de ses adroites mains,
Placer déjà des pompons enfantins
Sur ce jouet dont l'étoffe déguise
Aux yeux trompés les ressorts incertains.
Dans ce carton, dans ce joli visage
Que le pinceau vernit et colora,
L'aimable Rose a trouvé son image…
C'en est assez ; elle l'embellira,
Et de l'instinct c'est le premier ouvrage.
A ces cheveux elle enlace des fleurs ;
Un nœud galant décore cette tresse ;
Elle lutine, elle gronde et caresse
L'objet muet de tant de soins flatteurs.
Elle folâtre, et redevient sévère ;
Et les leçons qu'elle ose répéter,
Fidèle écho des leçons d'une mère,
Prouvent qu'au moins on sut les écouter.

(Les Jeux de l'enfance)

A UN ENFANT

Quand tu te souviendras de la charmante hégire
Où, posé pour un soir au bord de mon ruisseau,
Deux mères t'adoraient de leur pieux sourire,
Deux anges à genoux te servaient au berceau ;

Quand tu te souviendras de la langue inconnue
Que la maison parlait, ruche d'un autre essaim,
Des baisers qui marbraient ta belle épaule nue,
Des lis moins blancs que toi qu'on jetait dans ton sein ;

Quand tu te souviendras de ces genoux de femme,
Où l'on se disputait le soir de t'assoupir,
Où tout un cher foyer, dont tu paraissais l'âme,
De peur de t'éveiller retenait son soupir ;

Quand tu te souviendras des belles grappes mûres
Qui, sous la vigne jaune arrondie en berceau,
Faisaient lever tes mains, avec de doux murmures
De ne pouvoir atteindre où becquetait l'oiseau ;

De tes yeux sur la source avec les coquillages,
Des feuilles qui pleuvaient du saule murmurant,
Et des barques de noix qu'à de riants naufrages,
Comme des rêves d'homme, entraînait le courant ;

Quand tu commenceras à la trouver amère,
Cette coupe de Dieu, qui n'est douce qu'au bord,
Et que tu suivras seul sans la main de ta mère
La route où chaque pas trébuche sur la mort.

Souviens-toi de l'année, et du mois, et de l'heure,
Et dis, en revoyant en songe ce séjour :
« Que la paix d'un long soir soit sur cette demeure
Où j'apporterai la joie, où j'emporterai l'amour ! »

A MA MÈRE

Ma mère… Ce nom seul décourage la Muse !
J'en souffre tous les jours, tous les jours je m'accuse,
Et je prélude encore, et pour y renoncer !

Mon cœur est tout rempli d'amour : mais pour le dire
Je n'ai que mon regard, je n'ai que mon sourire,
Je n'ai que mes deux bras, ma lèvre et mon baiser !

(Poésies du foyer et de l'école)

PETITE MÈRE, C'EST TOI

La nuit, lorsque je sommeille,
Qui vient se pencher sur moi ?
Qui sourit quand je m'éveille ?
    Petite mère, c'est toi.

Qui gronde d'une voix tendre,
Si tendre que l'on ne soit
Repentant rien qu'à l'entendre ?
    Petite mère, c'est toi.

Qui pour tous est douce et bonne ?
Au pauvre ayant faim et froid
Qui m'apprend comment on donne ?
    Petite mère, c'est toi.

Qui, en montrant comme on aime,
Sans cesse pensant à moi,
Me chérit plus qu'elle-même ?
    Petite mère, c'est toi.

Quand te viendra la vieillesse,
A mon tour veillant sur toi,
Qui te rendra ta tendresse ?
    Petite mère, c'est moi.

SOPHIE HÜE (1835-1893)

A MA MÈRE

Mais non, éloignez-vous, séduisante chimère ;
En troublant mon repos vous offensez ma mère ;
Tant qu'elle m'aimera, qu'aurai-je à désirer ?
Rien… un si grand bonheur me défend d'espérer !…

(Poésies complètes)

A MA MÈRE

Le salon est paisible. Au fond, la cheminée
Flambe, par un feu clair et vif illuminée.
Au-dehors le vent souffle, et la pluie aux carreaux
Ruisselle avec un bruit pareil à des sanglots.
Sous son abat-jour vert la lampe qui scintille
Baigne de sa clarté la table de famille ;
Un vase plein de fleurs de l'arrière-saison
Exhale un parfum vague et doux comme le son
D'un vieil air que fredonne une voix affaiblie.
Le père écrit. La mère, active et recueillie,
Couvre un grand canevas de dessins bigarrés,
Et l'on voit sous ses doigts s'élargir par degrés
Le tissu nuancé de laine rouge et noire.
Assise au piano, sur les touches d'ivoire
La jeune fille essaye un thème préféré,
Puis se retourne, et rit. Son profil éclairé
Par un pâle rayon est fier et sympathique,
Et si pur qu'on croirait voir un camée antique.
Elle a vingt ans. Le feu de l'art luit dans ses yeux
Et son front resplendit, et ses cheveux soyeux

Tombent en bandeaux bruns jusque sur ses épaules.

Comme un vent frais qui court dans les branches des saules

Ses doigts, sur l'instrument tout à l'heure muet,

Modulent lentement un air de menuet,

Un doux air de Don Juan, rêveuse mélodie,

Pleine de passion et de mélancolie…

Et, tandis qu'elle fait soupirer le clavier,

Le père pour la voir laisse plume et papier,

Et la mère, au milieu d'une fleur ébauchée,

Quitte l'aiguille et reste immobile et penchée.

Et s'entre-regardant, émus, émerveillés,

Ils contemplent tous deux avec des yeux mouillés

La perle de l'écrin, l'orgueil de la famille,

La vie et la gaieté de la maison – leur fille.

(Jardin d'automne)

Rêves menteurs qui nous charmez,
Allez, enfants, douces chimères !
Vous n'aimerez jamais vos mères
Autant qu'elles vous ont aimés !

Oui, l'enfant veut toujours aller perçant l'espace,
Tourner autour du monde et voir ce qui s'y passe.
Oui, son âme est l'oiseau qui n'a point de séjour,
Et qui vole partout où Dieu répand le jour.

L'AMOUR MATERNEL

Fait d'héroïsme et de clémence,
Présent toujours au moindre appel,
Qui de nous peut dire où commence,
Où finit l'amour maternel ?

Il n'attend pas qu'on le mérite,
Il plane en deuil sur les ingrats ;
Lorsque le père déshérite,
La mère laisse ouverts ses bras.

Son crédule dévouement reste
Quand les plus vrais nous ont menti,
Si téméraire et si modeste
Qu'il s'ignore et n'est pas senti.

Pour nous suivre il monte ou s'abîme,
A nos revers toujours égal,
Ou si profond ou si sublime,
Que, sans maître, il est sans rival.

Est-il de retraite plus douce
Qu'un sein de mère, et quel abri
Recueille avec moins de secousse
Un cœur fragile endolori ?

Quel est l'ami qui sans colère
Se voit pour d'autres négligé ?
Qu'on méconnaît sans lui déplaire,
Si bon qu'il n'en soit qu'affligé ?

Quel ami dans un précipice
Nous joint sans espoir de retour.
Et ne sent quelque sacrifice
Où la mère ne sent qu'amour ?

Lequel n'espère un avantage
Des échanges de l'amitié ?
Que de fois la mère partage
Et ne garde pas sa moitié ?

Ô mère, unique Danaïde,
Dont le zèle soit sans déclin,
Et qui, sans maudire le vide,
Y penche un grand cœur toujours plein !

(Stances et poèmes)

Ce fils, ma seule joie, et l'image d'Hector ;
Ce fils, que de sa flamme il me laissa pour gage !

(Andromaque)

DOUCES LARMES

Si vous ne voyez pas le front de votre fils
Accablé sous le poids de la science amère,
Et si pour vous l'enfant que vous berciez jadis
        Reste un enfant pour vous, ma mère,

Laissez-moi m'enivrer de votre douce voix,
Qui fut ma poésie et ma première fête,
Et puis, m'agenouillant ici comme autrefois,
        Sur vos genoux poser ma tête !

Je veux redevenir ignorant, je le veux !
Et revoir, oubliant mes plaintes étouffées,
Ce temps où vous passiez dans mes petits cheveux
        Un peigne d'or, comme les fées !

Votre main sur mes yeux alors me consolait !
Je m'endormias, ravi par toutes vos caresses,
Faible, heureux, souriant, nourri de votre lait,
        De vos chants et de vos tendresses !

Oui, je veux y penser encore, si je le puis
Et rêver près de vous, comme j'avais coutume,
Aux bonheurs envolés, car je n'ai bu depuis
    Que le dégoût et l'amertume !

Vous me disiez : Mon fils, un jour tu souffriras.
Pour t'épargner un peu les maux que je redoute,
Laisse-moi te cacher aux méchants dans mes bras !
    C'est que vous le saviez sans doute,

Les baisers que plus tard, hélas ! je recevrais,
Devaient toujours servir à cacher un mensonge ;
Ceux que vous me donniez étaient bien les seuls vrais ;
    Oui les seuls ; maintenant j'y songe !

Mère ! — Laissez-le-moi dire, ce mot charmant,
Et bien oublier tout, rien que pendant cette heure !
Car, si je suis heureux encor pour un moment,
    C'est quand j'oublie et quand je pleure.

(Roses de Noël)

LES CHÈRES MAINS...

Les chères mains qui furent miennes,
Toutes petites, toutes belles,
Après ces méprises mortelles
Et toutes ces choses païennes,

Après les rades et les rêves,
Et les pays et les provinces,
Royales mieux qu'au temps des princes,
Les chères mains m'ouvrent les rêves.

Mains en songe, mains sur mon âme,
Sais-je, moi, ce que vous daignâtes,
Parmi ces rumeurs scélérates,
Dire à cette âme qui se pâme ?

Ment-elle, ma vision chaste
D'affinité spirituelle,
De complicité maternelle,
D'affection étroite et vaste ?

Remords si cher, peine très bonne,
Rêves bénis, mains consacrées,
Ô ces mains, ces mains vénérées,
Faites le geste qui pardonne !

(Sagesse)

Ma pauvre mère,
Qui pour moi eut douleur amère,
Dieu le sait, mainte tristesse,
Autre château n'ai, ni forteresse,
Où me retraye corps et âme,
Quand sur moi court male détresse,
Que ma mère, la pauvre femme !

LA VIERGE A LA CRÈCHE

Dans ses langes blancs, fraîchement cousus,

La Vierge berçait son Enfant-Jésus.

Lui, gazouillait comme un lit de mésanges.

Elle le berçait, et chantait tout bas

Ce que nous chantons à nos petits anges…

Mais l'Enfant-Jésus ne s'endormait pas.

Étonné, ravi de ce qu'il entend,

Il rit dans sa crèche, et s'en va chantant

Comme un saint lévite et comme un choriste ;

Il bat la mesure avec ses deux bras,

Et la sainte Vierge est triste, bien triste,

De voir son Jésus qui ne s'endort pas.

« Doux Jésus, lui dit la mère en tremblant,

« Dormez, mon agneau, mon bel agneau blanc.

« Dormez ; il est tard, la lampe est éteinte.

« Votre front est rouge et vos membres las ;

« Dormez, mon amour, et dormez sans crainte. »

Mais l'Enfant-Jésus ne s'endormait pas. […]

« Si quelques instants vous vous endormiez,

« Les songes viendraient, en vol de ramiers,

« Et feraient leurs nids sur vos deux paupières.

« Ils viendront ; dormez doux Jésus. » — Hélas !

Inutiles chants et vaines prières,

Le petit Jésus ne s'endormait pas.

Et Marie alors, le regard voilé,

Pencha sur son fils un front désolé :

« Vous ne dormez pas, votre mère pleure,

« Votre mère pleure, ô mon bel ami… »

Des larmes coulaient de ses yeux ; sur l'heure,

Le petit Jésus s'était endormi.

(Les Amoureuses)

Oui, le destin a couronné mes vœux ;
Oui, je l'obtiens ce tendre nom de mère,
Ce nom sacré, ce nom que je préfère
A tout l'éclat des titres fastueux.

TABLEAU DE SAINTETÉ

La mère et l'enfant, éternel objet
De tout philosophe et de tout artiste !
Chasser ta pensée ou féroce ou triste,
Sans la mère et sans l'enfant, qui le fait ?

Un chapeau trop grand, un verre de lait,
C'est l'enfant content. Et la mère insiste
Pour le faire boire. Oh ! la grâce existe
Au milieu du crime, au milieu du laid.

Le ton rouge et frais des mignonnes lèvres
Nous fait oublier nos malsaines fièvres.
Oh ! les petits mots qu'on ne comprend pas.

La mère, charmante, hésite à sourire,
Elle sait l'amour qu'on ne peut pas dire
Tenant doucement son fils dans ses bras.

(Le Collier de griffes)

103

JE SAVAIS QUE CE SERAIT TOI...

Je savais que ce serait toi
Avec cette petite bouche,
Avec ce front et cette voix,
Ce regard indécis qui louche.

Je savais que ta jeune chair
Aurait ces nacres veloutées,
Que tes mains tapoteraient l'air
Pour saisir la robe des fées.

Je savais la suave odeur
De lait pur qu'aurait ton haleine
Et quel choc effrayant ton cœur
Battrait sous la guimpe de laine.

Je sentais si bien tes pieds nus
Marcher dans mon douillet mystère
Que mon sang les a reconnus
Quand tu les posas sur la terre.

Comment ne t'aurais-je pas vu
Avec les yeux de ma pensée ?
Rien de toi ne m'est imprévu,
Petit âme que j'ai tissée.

Quand tu poussas ton premier cri,
Ce cri me sortait des entrailles ;
Mon souffle s'étire attiédi
Sur tes lèvres lorsque tu bâilles.

Jusqu'au bout de tes menus doigts,
Je me prolonge et me sens vivre ;
Comme au vent la feuille des bois,
Mon penchant incline à te suivre.

De l'ombre où je la retenais
Dans l'effroi de la clarté nue,
N'es-tu pas, enfant nouveau-né,
Une de mes formes venues

Afin que d'un rêve jaloux
Je goûte l'intime caresse
Et que je berce la tristesse
De mon âme sur mes genoux.

(L'Âme en bourgeon)

MES ADIEUX A L'ENFANCE

Adieu beaux jours de mon enfance,

Qu'un instant fit évanouir,

Bonheur, qui fuit sans qu'on y pense,

Qu'on sent trop peu pour en jouir ; [...]

Reviens, bel âge que je pleure,

Ou du moins renais dans mes chants ;

Je veux de songes séduisants

Me bercer avant que je meure,

Et quand viendra ma dernière heure,

Rêver encor mes premiers ans.

Toi qui de mon enfance heureuse

Soutenais les pas chancelants,

Viens de ma jeunesse fougueuse

Contenir les écarts brûlants ;

Jadis sans toi point d'allégresse,

Ma mère ! toute ma tristesse

Se dissipait sur tes genoux ;

Aujourd'hui, si l'orage gronde,

Près de toi, je veux dans ce monde

Rire encor des sots et des fous ;

De cet Océan en courroux

Bravons les vagues fugitives ;

Tu rendis mes plaisirs plus doux :

Tu rendras mes peines moins vives.

(Cahier de vers français)

Dieux, disait-elle, ah ! comblez mes désirs !
C'est peu, trop peu, de les avoir fait naître,
Je dois encore les chérir, les voir croître.
On devient mère, hélas, par les plaisirs,
Par l'amour seul, on est digne de l'être.

(Le Jugement de Pâris)

TA VOIX

J'aime ta voix, jamais je ne m'en rassasie.
Ma mère, ton regard plus doux que l'Orient,
Tout enfant, me faisait rêver la poésie,
Et tu m'as entr'ouvert les cieux, en souriant !

Si la forêt m'accueille en ses gorges hautaines,
Je te l'ai dû ; c'est toi, mère, qui m'as appris
A m'enivrer du chant rythmique des fontaines,
Songeur de la nature et des cimes épris !

Je savais les doux mots que notre esprit savoure ;
Mais pour charmer ce peuple attentif près de nous,
C'est toi qui m'as donné ton âme et ta bravoure !
Embrasse encor ton fils qui pleure à tes genoux.

(Roses de Noël)

THÉODORE DE BANVILLE (1823-1891)

LE BONHEUR

Pour apaiser l'enfant qui, ce soir, n'est pas sage,
Églé, cédant enfin, dégrafe son corsage,
D'où sort, globe de neige, un sein gonflé de lait.
L'enfant, calmé soudain, a vu ce qu'il voulait,
Et de ses petits doigts pétrissant la chair blanche
Colle une bouche avide au beau sein qui se penche.
Églé sourit, heureuse et chaste en ses pensers,
Et si pure de cœur sous les longs cils baissés.
Le feu brille dans l'âtre ; et la flamme, au passage,
D'un joyeux reflet rose éclaire son visage,
Cependant qu'au dehors le vent mène un grand bruit…
L'enfant s'est détaché, mûr enfin pour la nuit,
Et, les yeux clos, s'endort d'un bon sommeil sans fièvres,
Une goutte de lait tremblante encore aux lèvres.
La mère, suspendue au souffle égal et doux,
Le contemple, étendu, tout nu, sur ses genoux,
Et, gagnée à son tour au grand calme qui tombe,
Incline son beau col flexible de colombe ;
Et, là-bas, sous la lampe au rayon studieux,
Le père au large front, qui vit parmi les dieux,
Laissant le livre antique, un instant considère,
Double miroir d'amour, l'enfant avec la mère,
Et dans la chambre sainte, où bat un triple cœur,
Adore la présence auguste du bonheur.

(Aux flancs du vase)

LES DEUX MÈRES

Deux cortèges se sont rencontrés à l'église.
L'un est morne – il conduit la bière d'un enfant.
Une femme le suit, presque folle, étouffant,
Dans sa poitrine en feu le sanglot qui la brise.

L'autre, c'est un baptême. – Au bras qui le défend
Un nourrisson bégaye une note indécise ;
Sa mère, lui tendant le doux sein qu'il épuise,
L'embrasse tout entier d'un regard triomphant.

On baptise, on absout, et le temple se vide.
Les deux femmes alors, se croisant sous l'abside,
Échangeant un coup d'œil aussitôt détourné ;

Et – merveilleux retour qu'inspire la prière –
La jeune mère pleure en regardant la bière,
La jeune femme qui pleurait sourit au nouveau-né.

(Sonnets)

LE TOMBEAU D'UNE MÈRE

Là dort dans son espoir celle dont le sourire
Cherchait encor mes yeux à l'heure où tout expire,
Ce cœur, source du mien, ce sein qui m'a conçu.
Ce sein qui m'allaita de lait et de tendresse,
Ces bras qui n'ont été qu'un berceau de caresses,
      Ces lèvres dont j'ai tout reçu !

(Harmonies poétiques et religieuses)

RIEZ BIEN, LES FRAIS INNOCENTS

Riez, les poupons potelés
Aux bouchettes de lin sauvage !
Riez vos rires étoilés !
Rossignolets, rossignolez
Votre printanier babillage !
— Ô les blonds poupons potelés
Aux bouchettes de lin sauvage !

Mieux qu'un chamaillis aprilin,
Riez bien, les belles enfances !
Avec vos bouchettes de lin,
De lin sauvage et purpurin. –
Les chamaillis sont sans offenses
Qui rient au taillis aprilin.
— Riez bien, les belles enfances !

Oui ! laissez rire, les chéris,
Le vin vermeillet sur vos bouches ;
Vous qu'un sein joyeux a nourris
De lait blanc, de rêves fleuris,
D'amour, sans mélanges farouches
De sang ni de fièvre, ô chéris,
Sur le lin rose de vos bouches !

Riez bien, les frais innocents,
Émerveillez-vous bien des choses ;
Riez aux oiselets naissants
Au ciel, aux astres fleurissants,
Aux arbres, aux moissons, aux roses,
A tout ! — Vous êtes innocents
Et ne connaissez rien des choses !

Trop tôt votre cœur n'aura plus
– Défeuillé de ses ignorances –
De nids pour les rires joufflus !
Et les rappels sont superflus
Des sereines indifférences,
Quand, tout brumeux, le cœur n'a plus
Son fouillis feuillu d'ignorances !

Riez, les poupons potelés
Aux bouchettes de lin sauvage !
Riez vos rires étoilés !
Rossignolets, rossignolez
Votre printanier babillage !…
Ô les blonds poupons potelés
Aux bouchettes de lin sauvage !

(Aux bords du Lez)

Zulima se récrie… elle presse à la fois
L'époux qui la chérit et l'enfant qu'elle adore ;
Elle voudrait parler encore
Et le bonheur éteint sa voix.

(La Jeune Mère)

LE MOUSSE

Mousse : il est donc marin, ton père ?...
— Pêcheur ! Perdu depuis longtemps.
En découchant d'avec ma mère,
Il a couché dans les brisants...

Maman lui garde au cimetière
Une tombe – et rien dedans –
C'est moi son mari sur la terre,
Pour gagner du pain aux enfants.

Deux petits. – Alors, sur la plage,
Rien n'est revenu du naufrage ?...
– Son garde-pipe et son sabot...

La mère pleure, le dimanche,
Pour repos... Moi : J'ai ma revanche.
Quand je serai grand : matelot !

(Les Amours jaunes)

MA MÈRE

Ô ! Que ne puis-je habiter sous ton aile

Dans la maison des champs la chambre maternelle,

Près de toi que ne puis-je y dormir chaque nuit

Jusqu'à l'heure où surgit la lumière et le bruit ;

Jusqu'à l'heure où toujours la première levée

Tu venais en riant d'une voix élevée,

M'éveiller et finir ces rêves orageux

Qui, pour moi de l'enfance empoisonnaient les jeux !

Et de ma couche alors levant le blanc rideau,

Ma mère, tu semblais soulever le fardeau

Qui pesait sur mon cœur ; et, soudain éveillée,

Puis, par tes douces mains avec soin habillée,

Après avoir prié pour mon père et pour toi

Le ciel où maintenant vous priez Dieu pour moi ;

Après avoir reçu de ta lèvre adorée

Ce baiser du matin dont la mort m'a sevrée,

Plus calme et ranimant mon cœur à ton amour,

Je te suivais au champ pour voir lever le jour.

Et d'abord sous cet orme à l'ombre séculaire,

Qui, sur la grande cour, dresse un toit circulaire

Comme pour abriter avec son vert manteau
Du soleil du midi les murs blancs du château ;
Sous cet orme où l'oiseau pose son lit de mousse,
Où le coq matinal chante, où la poule glousse,
Où le paon fait briller son plumage étoilé,
D'abord tu t'arrêtais en égrenant du blé ;
Et la poule et le coq, à la crête écarlate,
Accouraient en frappant le gazon de leur patte ;
Et le paon, déployant sa queue en tournesol,
Leur disputait le grain qui tombait sur le sol ;
Et les oiseaux dans l'air jetaient mille ramages,
Et le soleil jouait dans leurs brillants plumages.
Je rêvais en voyant ta sublime bonté,
Embrasser la nature en son immensité,
Se répandre, depuis les douleurs du génie
Jusqu'à l'agneau bêlant, en tendresse infinie,
Et donner à tout être, hélas ! qu'on foule au pied,
Une part de ton cœur, tout amour et pitié.

En classe je suis quatrième !
C'est un plumet à mon cimier.
Mère, dans la classe où l'on t'aime
Je serai toujours le premier !

A MA MÈRE

Après un si joyeux festin,
Zélés sectateurs de Grégoire,
Mes amis, si, le verre en main
Nous voulons chanter, rire et boire,
Pourquoi s'adresser à Bacchus ?
Dans une journée aussi belle,
Mes amis, chantons en « chorus »
A la tendresse maternelle.

Un don pour nous si précieux,
Ce doux protecteur de l'enfance,
Ah, c'est une faveur des cieux
Que Dieu donna dans sa clémence.
D'un bien pour l'homme si charmant
Nous avons ici le modèle,
Qui ne serait reconnaissant
A la tendresse maternelle ?

Arrive-t-il quelque bonheur ?
Vite, à sa mère on le raconte,
C'est dans son sein consolateur

Qu'on cache ses pleurs ou sa honte.
A-t-on quelques faibles succès,
On ne triomphe que pour elle
Et que pour répondre aux bienfaits
De la tendresse maternelle.

Ô toi, dont les soins prévoyants
Dans les sentiers de cette vie
Dirigent mes pas nonchalants,
Ma mère, à toi je me confie.
Des écueils d'un monde trompeur
Écarte ma faible nacelle.
Je veux devoir tout mon bonheur
A la tendresse maternelle.

(Poésies complètes)

POURQUOI JE T'AIME

Il faut pour qu'un enfant puisse chérir sa mère,
qu'elle pleure avec lui, partage ses douleurs,
Ô ma mère chérie, sur la rive étrangère
pour m'attirer à toi, que tu versas de pleurs !…

MAURICE CARÊME (1899-1978)

Tu es belle, ma mère,
Comme un pain de froment
Et dans tes yeux d'enfant
Le monde tient à l'aise.

(© éditions Hachette)

LES MAMANS

Sous les caresses maternelles
Nous grandissons dans un doux nid,
Impatients d'avoir des ailes
Pour voltiger dans l'infini...
Les méchants ingrats que nous sommes,
Semeurs de terribles tourments,

A peine sommes-nous des hommes
Nous faisons souffrir les mamans !

Joyeux bambins, chers petits anges
Changés vite en petits démons,
Gazouillez comme des mésanges :
Vos gais propos, nous les aimons...
Mais comme nous faisions naguère,
Quand défilent nos régiments,

Ne parlez jamais de la guerre,
Car ça fait trembler les mamans !
Lorsque vous serez dans la vie

Livrés à vous-mêmes un jour,
Sans défaillance et sans envie
Luttez pour vivre à votre tour…
Et si le sort met en déroute
Les fiers espoirs de vos romans,

Ne quittez pas la droite route,
Car ça fait pleurer les mamans !

Puis redoublez de gentillesse
Lorsque leurs cheveux seront blancs ;
Pour mieux égayer leur vieillesse
Redevenez petits enfants.
Entourez-les de vos tendresses,

Ne ménagez pas vos caresses…
Ça fait tant plaisir aux mamans !

LA MÈRE ET L'ENFANT

Quand j'ai grondé mon fils, je me cache et je pleure.
Qui suis-je, pour punir, moi, roseau devant Dieu,
Pour devancer le temps qui nous gronde à toute heure,
Et crie à tous : Prends garde, il faudra dire adieu !

Mourir avec le poids d'une parole amère,
D'une larme d'enfant que l'on a fait couler,
Que l'on sent sur son cœur incessamment rouler !
Est-ce donc pour ce droit que l'on veut être mère ?

[…]

(Élégies, Marie et romances)

POUR MAMAN

Petit oiseau
A la volette
Viens te percher dessus mon doigt.
Que je te dise,
A la volette,
Un grand secret rien que pour toi.

La plus jolie fée de la terre,
C'est ma maman
Ma maman à moi
Petit oiseau
A la volette
Porte-lui ce baiser pour moi.

(100 poèmes pour les enfants de 3 à 6 ans)

A MON ENFANT

Mon bel enfant, te voilà blanc et rose,
Né dans ce monde et couché sur mon sein,
Fleur d'aujourd'hui, toute fraîche et mi-close,
Mise par Dieu sur le large chemin.
Tes yeux chéris, innocents de lumière,
N'ont pas encor dans les miens pu jaillir,
A Dieu déjà j'adresse une prière :
Pour voir tes yeux, je demande à vieillir.

Toi, mon jésus, si mignon et si frêle
Qu'avec le souffle on n'ose te toucher,
Un faible oiseau du frôle de son aile,
Comme un épi peut te faire pencher.
Qu'une caresse ou te presse ou t'effleure,
Ton front rosé semble aussitôt pâlir.
Je te regarde, et puis mon âme pleure
Pour t'embrasser, je demande à vieillir.

Si tu savais combien je compte l'heure !
Car pour toi l'heure est tout un jour pour nous :
Déjà dans toi je me berce et me leurre,
En t'appelant de ton nom à genoux !
De tous les noms que je voudrais t'apprendre,
Il en est un qui me fait tressaillir :
Celui de mère, oh ! oui, oui ! pour l'entendre,
Pour l'écouter, je demande à vieillir.

(Rayons d'amour)

Ô MA MÈRE !

Ô ma mère ! ton sein m'a portée ; je suis le premier fruit de tes amours ; qu'ai-je fait pour mériter l'esclavage ? j'ai soulagé ta vieillesse ; pour toi j'ai cultivé la terre ; pour toi j'ai cueilli des fruits ; pour toi j'ai fait la guerre aux poissons du fleuve ; je t'ai garantie de la froidure ; je t'ai portée durant la chaleur, sous des ombrages parfumés ; je veillais sur ton sommeil, et j'écartais de ton visage les insectes importuns. Ô ma mère, que deviendras-tu sans moi ? [...]

(Chansons madécasses)

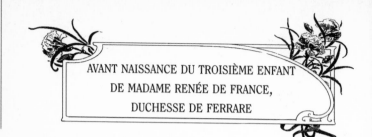

Petit enfant, quel que sois, fille ou fils,
Parfais le temps de tes neuf mois prefix
Heureusement : puis sors du royal ventre
Et de ce monde en la grand'lumière entre :
Entre sans cry, viens sans pleur en lumière.
Viens sans donner destresse coustumiere
A la mere humble en qui Dieu t'a faict naistre,
Puis d'un doux ris commence à la cognoistre ;
Après que faict luy auras cognoissance,
Prends peu à peu nourriture et croissance,
Tant qu'à demi commences à parler,
Et tout seulet en trepignant aller
Sur les carreaux de ta maison prospere,
Au passetemps de ta mere et ton pere,
Qui de t'y voir un de ces jours pretendent,
Avant ton frère et ta sœur, qui t'attendent.
Viens hardyment : car quand grandet seras,
Et qu'à entendre un peu commenceras,
Tu trouveras un siecle pour apprendre
En peu de temps ce qu'enfant peut comprendre,
Viens hardyment : car ayant plus grand age,
Tu trouveras encores davantage :
Tu trouveras la guerre commencée

Contre ignorance et sa trouppe insensée,
Et, au rebours, vertu mise en avant,
Qui te rendra personnage sçavant
En tous beaux arts, tant soient ils difficiles,
Tant par moyens que par lettres faciles.
Puis, je suis seur, et on le cognoistra,
Qu'à ta naissance avecques toy naistra
Esprit docile et cœur sans tache amere,
Si tu tiens rien du costé de la mere.
Viens hardyment, et ne crains que fortune
En biens mondains te puisse estre importune,
Car tu naistras, non ainsi povre et mince
Comme moy (las !), mais enfant d'un grand prince.
Viens sain et sauf : tu peulx estre asseuré
Qu'à ta naissance il n'y aura pleuré,
A la façon des Thraces lamentant
Leurs nouveaux nez, et en grand deuil chantant
L'ennuy, le mal et la peine asservie
Qu'il leur falloit souffrir en ceste vie.
Mais tu auras (que Dieu ce bien te face !)
Le vray moyen qui tout ennuy efface,
Et faict qu'au monde angoisse on ne craint point,
Ne la mort mesme alors qu'elle nous poind.

Ce vray moyen plein de joye feconde,
C'est ferme espoir de la vie seconde,
Par Jesus Christ, vainqueur et triumphant
De ceste mort. Viens donc, petit enfant :
Viens voir de terre et de mer le grand tour,
Avec le ciel qui se courbe à l'entour.
Viens voir, viens voir mainte belle ornature
Que chacun d'eux a receu de nature ;
Viens voir ce monde, et les peuples et princes
Regnants sur luy en diverses provinces,
Entre lesquels est le plus apparent
Le roy François, qui te sera parent,
Sous et par qui ont esté esclairciz,
Tous les beaux arts par avant obscurciz.
Ô siècle d'or le plus fin que l'on treuve,
Dont la bonté sous un tel roy s'espreuve !
Ô jours heureux à ceux qui les cognoissent,
Et plus heureux ceulx qui ajourd'huy naissent !
Je te dirois encor cent mille choses
Qui sont en terre autour du ciel encloses,
Belles à l'œil et douces à penser,
Mais j'aurois peur de ta mere offenser
Et que de voir et d'y penser tu prinses

Si grand desir, qu'avant le terme vinses.
Parquoy (enfant), quel que sois, fille ou fils,
Parfais le temps de tes neuf mois prefix
Heureusement : puis sors du royal ventre
Et de ce monde en la grand'lumiere entre.

(L'Adolescence clémentine)

A MA MÈRE

Ô ma mère et ma nourrice !
Toi dont l'âme protectrice
Me fit des jours composés
Avec un bonheur si rare,
Et qui ne me fus avare
Ni de lait ni de baisers !

Je t'adore, sois bénie.
Tu berças dans l'harmonie
Mon esprit aventureux,
Et loin du railleur frivole
Mon Ode aux astres s'envole :
Sois fière, je suis heureux.

[...]

(Les Exilés)

MA MÈRE, JE LA VOIS…

Ma mère, je la vois !… oui, je revois mon village !
Ô souvenirs d'autrefois ! doux souvenirs du pays !
Doux souvenirs du pays ! Ô souvenirs chéris !
Vous remplissez mon cœur de force et de courage
[…]

Même de loin, ma mère me défend,
Et ce baiser qu'elle m'envoie
Écarte le péril et sauve son enfant !

(Carmen)

Ah comment fuir alors mon désir
D'être encore enfant !

TON SOURIRE

Ô mère, ton sourire enthousiaste et fier
Brille de clairs rayons, comme un soleil d'hiver.
En vain l'âge est venu ; le temps qui nous assiège
A touché ton front pur, et ne l'a pas blessé,
Mais triste de blanchir tes cheveux, a laissé
Délicieusement fleurir leur douce neige !

Oh ! dis-moi, le sais-tu, pourquoi tes soixante ans
Ont la grâce charmante et vive d'un printemps ?
Chaque heure sans repos nous pousse de son aile,
Chaque instant nous trahit ; mais les nobles amours
Sont pour notre visage un dictame, et toujours
Y mettent doucement la jeunesse éternelle.

La brise qui charma les fleurs, le seul zéphyr
Froisse la blonde mer de flamme et de saphir
Dont le chant retentit près des belles Florides ;
Mère, tes yeux aussi réfléchissent l'azur,
C'est pourquoi tu seras pareille à ce flot pur
Qui reflète le ciel et qui n'a pas de rides !

(Roses de Noël)

LA VEILLÉE

Mon ami, vous voilà père d'un nouveau-né ;
C'est un garçon encor : le ciel vous l'a donné
Beau, frais, souriant d'aise à cette vie amère ;
A peine il a coûté quelque plainte à sa mère.
Il est nuit ; je vous vois ; … à doux bruit, le sommeil
Sur un sein blanc qui dort a pris l'enfant vermeil,
Et vous, père, veillant contre la cheminée,
Recueilli dans vous-même, et la tête inclinée,
Vous vous tournez souvent pour revoir, ô douceur !
Le nouveau-né, la mère, et le frère et la sœur,
Comme un pasteur joyeux de ses toisons nouvelles,
Ou comme un maître, au soir, qui compte, ses javelles.

[…]

(Vie, poésies et pensées de Joseph Delorme)

Ame qui fus ma mère, oh ! parle, parle-moi !
Ma conversation est au ciel avec toi !…
Non, je ne savais pas, je ne dirai jamais
De quelle âme de fils, ô mère, je t'aimais !

(Jocelyn)

ÉPIGRAMME

Sur le mouvement que la reine a senti de son enfant.

Cet invincible enfant d'un invincible père
Déjà nous fait tout espérer ;
Et quoi qu'il soit encore au ventre de sa mère,
Il se fait craindre et désirer.
Il sera plus vaillant que le Dieu de la guerre,
Puisqu'avant que son œil ait vu le firmament,
S'il remue un peu seulement,
C'est à nos ennemis un tremblement de terre.

(Dédié à la grossesse d'Anne d'Autriche, en 1638)

TABLE

*Cet ouvrage a été composé
par Atlant'Communication
à Sainte-Cécile (Vendée)*

*Impression réalisée par
l'imprimerie Hérissey
à Évreux (Eure)
en mars 2002*

*pour le compte des Éditions de l'Archipel
département éditorial
de la S.A.R.L. Écriture-Communication*

Imprimé en France
N° d'édition : 479 – N° d'impression : 92072
Dépôt légal : mai 2002